ISBN 978-2-211-20181-0
Première édition dans la collection *lutin poche* : juin 2010
© 2009, l'école des loisirs, Paris
Loi numéro 49 956 du 16 juillet 1949 sur les publications
destinées à la jeunesse : avril 2009
Dépôt légal : novembre 2010
Imprimé en France par Clerc SAS à Saint-Amand-Montrond

Michel Van Zeveren

C'est à moi, ça !

Pastel
lutin poche de l'école des loisirs
11, rue de Sèvres, Paris 6e

Dans la jungle, terrible jungle...

... une grenouille trouve un œuf !

« Ah ! Ah !
C'est à moi, ça ! »

Psss...

Psss...

Psss...

«C'est à moi, ça!»
dit le serpent.

Tut !

Tut !

Tut !

«C'est à moi, ça !»

dit l'aigle.

Hum !

Hum !

«C'est à moi, ça!»
dit le varan.

«Non, à moi !»
dit l'aigle.

«Non, à moi !»
dit le varan.

Mais, dans la dispute,
l'œuf leur échappe.

Et tombe…
sur la tête d'un éléphant !

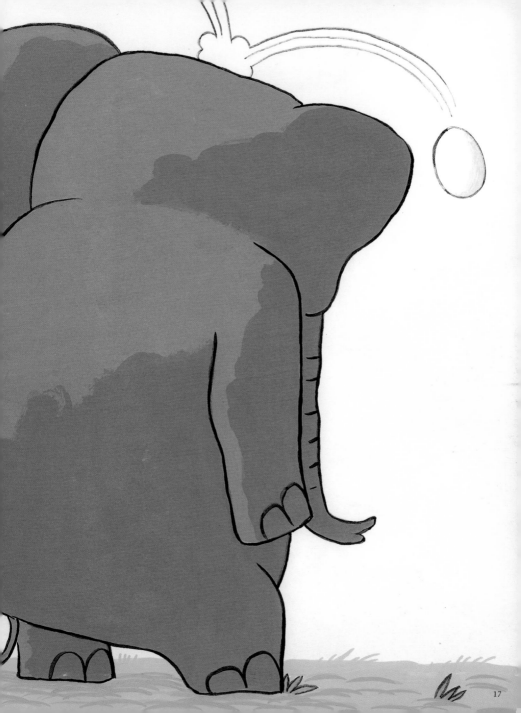

«Aïe !» dit l'éléphant,

qui a maintenant une bosse sur la tête.

« C'est à lui ! »

« Non,
c'est à lui ! »

« Non,
c'est à lui ! »

« À moi ? »

«Alors, je te le rends!»
dit l'éléphant.

« Ah ! Ah ! C'est enfin à moi, ça ! »

dit la grenouille.

Mais, à ce moment-là,
l'œuf se brise…

Et il en sort…
un crocodile !

Qui, en voyant la grenouille, dit :

« C'est à moi, ça ! »